마스다 미리
누구나의 일생

박정임 옮김

새의노래*

차례

달개비꽃(露草, 쓰유쿠사)
······작은 파란색 꽃잎.
아침에 피었다가 저녁이면 지는 덧없는 꽃.

1. 껌 뽑기 기계

이것은 만화가
쓰유쿠사
나쓰코의
이야기입니다.

시간
다 됐다.

도넛

5

8

9

10

그 대신 남은 기억들은 압축되어 단단해진다.

여러 가지 것들을 잊어버리지만

음~

얕아지는 건 아닌 거 같아. 오히려 맛이 점점 짙어지는 게 아닐까……

……

좋아!

11

*일본식 찹쌀떡. 팥소, 콩가루, 파래가루 등 다양한 재료로 쌀반죽을 감싸서 만든다.

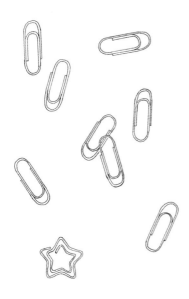

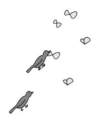

2. 캠핑

19

20

21

22

23

25

화과자 가게
하루코

드르륵
드르륵
드르륵

화과자 가게의 하루코

작가·쓰유쿠사 나쓰코

대학 때
세미나
친구들이랑.

아,
딱 한 번
가봤구나.

화과자 가게
하루코

감사
합니다~

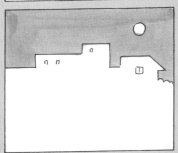

캠핑이라도
가면
좋겠다.

날씨
좋네.

분명히 여기
어딘가에
넣어뒀는데.

캠핑
가본 적도
없잖아.

아니지,
난

나무랑
조금
비슷한가.

그때 샀던
캠핑의자.

역시
있었어.

하하하

하루코의
나홀로
캠핑인가?

캠핑
느낌이야.

좋아,
좋아.

그때
그 친구들은
어떻게
지낼까.

어디
보자

좀 더
기분을
내볼까.

흠

지금은
전혀
연락도
안 하지만.

밀걸레에
걸어서

이
초록색
폴로
셔츠를

새로운
친구들과
캠핑을
간다는 등

예컨대
지구에 의문의
바이러스가
확산됐다고
치고

꿈꿔왔던
일들이 전부
멈춘 상태로

모든 대학 강의가
온라인 수업으로
대체되면서

4년을 보낸
청년들이
있다면

들뜬 마음으로
대학생이 됐는데
학교에 전혀
갈 수 없게 된다.

'후우' 하고
한숨이
날 것 같은
느낌이야.

가혹하다고
할까,
서운하다고
할까.

다양한 동아리를
둘러 보거나

3. 과일 샌드위치

응, 언니.
잘 지내.
방금 알바 끝났는데.
왜?

여보
세요?

음식?
응, 만들어주셔.
정체는
모르겠지만.

아빠도 건강하셔.
응, 계속 집에 계셔.
좌식 의자에서
책 읽으시면서.

추모공원에
모시면 되지 않을까?
아빠도 그렇게
생각하시는 거
같고.

산소…
그러게.
벌써 5년이 됐으니.

33

35

건네주고 끝.
간단하네.

합장식 묘지가
이런 거구나.
괜찮네.

유골함
받아주셨던
아저씨

그 분이
엄마랑 접촉한
마지막 사람이
되는 건가.

그렇겠지.

38

오늘은 짐이 많으시네요. 어디 외출하세요?

응, 봉안 하려고.

화과자 가게의 하루코

작가·쓰유쿠사 나쓰코

봉안?

화과자 가게
하루코

고맙습니다~

화과자 가게
하루코

이제 그만 우리 남편 유골을 묘지에 묻어주려고.

그러시 군요.

초여름 이네.

날씨 좋다~

왠지 쓸쓸해서 옆에 뒀었거든.

네, 어서 오세요.

아

안녕 하세요.

40

그 양반, 여기 오하기 좋아했잖아.

아이들이랑 다 같이 가기로 했어.

남편분은 늘 단팥 오하기를 드셨죠.

벌써 5년이나 됐으니.

그러시군요.

감사합니다.

그랬지. 단팥으로 다섯 개 줘.

가기 전에 남편이 생전에 자주 갔던 곳 보여줄까 하고.

곧 매미 소리도 들리겠어.

날씨 참 좋네.

우리 사이좋지?

아, 데이트 이신가요?

응 맞아

41

그렇다면
더 좋지.

네?

오,
그런가요?

매미는
몸을 뒤집은 채
죽는대.

매미에게는
자신이 오랫동안
머물렀던 흙에
추억이 많을
테니까.

하늘을 보며
죽는 것도
좋을 것 같지?

그러네요.

좋을 거
같아요.

매미
마음이야
알 수
없지만.

으~
으~

정말
그러네요.

흙이 보일
지도요.

아, 하지만
매미는
눈이 등에
있어서.

42

이런, 그래도 돼?

감사합니다. 오늘은 서비스로 한 개 더 넣었어요.

왜일까.

남편분도 단골이셨으니까요.

유골이라는 걸 알고 있는데도

화과자 가게
하루코

고맙습니다~

한동안은 다시 쓸쓸해질 것 같아.

화과자 가게
하루코

계산. 잔돈까지 딱 맞췄어.

44

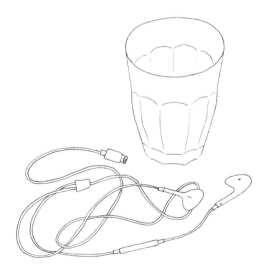

4. 분재

으앗!
또 연결이 안 돼!!

그야 다들
걸고 있으니까
그렇지.

두 시간째
스마트폰까지 해서
양쪽으로 걸고
있는데도
연결이 안 돼.

짜증~

겨우
열 번
걸어보고
포기하면
안 된다니까.

왜 남 일처럼
말해요?
아빠 백신
예약이잖아!!

칫!!

47

분재인가요?
예쁘네요.

화과자 가게의 하루코

작가 · 쓰유쿠사 나쓰코

묘목
시장에서
샀어요.

아,
이거요

화과자 가게
하루코

감사
합니다~

그렇죠,
원래 그런
거예요.

그 이상은
안 크죠?

저버리네.

해가
금방

화분 크기에
따라 뿌리도
결정되니까
나무도 크지
않아요.

네, 감사
합니다.

앗

콩가루
오하기
두 개랑
통팥
두 개요.

54

그렇지 않을까요?

그릇에 따라 일생의 크기가 정해지는 거네요?

400엔 입니다.

오~ 재미 있네요.

네, 그런 거죠.

화과자 가게 하루코

감사 합니다~

그 나무

그릇에 따라 결정된다…

땅에 심으면 커지나요?

뜻인가. 그런

화과자 가게
하루코

드르륵 드르륵

얼마만한 크기의 그릇? 응?

그렇다는 건

그릇이 큰 사람일 것 같지는 않아…

하핫

지금 여기에 있는 나는

아, 분재다!

그릇 크기에 따라 결정된 나

그 안에서
각자의 뿌리를
뻗을 뿐

자세히 보면
작아도
분명히
나무야.

복닥복닥
뒤엉키면서
살아낼 뿐.

그릇이
바로 그 사람,

갑자기
화분이
사고
싶어
졌어.

이라는 건
아닐지도.

선인장~
선인장~

꽃집에
들러야지!!

그릇이라는 건
인생이고

5. 빙수

61

야시장 거하고는 완전히 다르네요. 그건 그거대로 좋지만.

맛아요~

하핫

우와, 맛있어! 반값이라고 생각하니 더 맛있는데요.

얼음산 무너뜨리기 아까운데. 어떻게 먹으면 좋을까.

이런! 사진 찍는 거 깜박했다!!

네?

꼭대기 부분 엄청 맛있어 보여. 이 산은 뭔가…

아, 그러네요.

아무런 맛이 없는 세계를 모른 채 사는 인생도 있겠지요.

사회의 축소판 같지 않아요? 위쪽은 맛이 진하다는 점에서 귀족 세계.

응, 먹자.

오하기 있는데 드실래요?

화과자 가게의 하루코

작가·쓰유쿠사 나쓰코

엄마.

하루코, 잘 만드네?

어머~ 맛있어

뭐 하러 왔니? 별것도 아닌데.

몸은 좀 어때요?

에구

오늘은 근처에서 제초작업 한다던데.

아빠는? 시니어 일자리?

응

그냥 조금 피곤해서 그래. 요즘 바빴잖니.

64

진짜 부자는
이런
사람들이구나
한다니까.

나
중
에

거기 들어가면
할인해줘?

빙수에
비유하자면

할인해줘도 못 들어가!
보통 사장 정도는 했던
사람들밖에 없어.

우리는
산기슭의
하얀
부분이고?

꿀이 듬뿍
올려진 꼭대기
사람들이네.

아하하

평상시에 입는
스웨터 하나도
얼마나
고급스러운지~

우리는 뭔가
노력이 부족했던
걸까.

지금까지 내가 생각했던
부자와는
완전 차원이 달라.

70

6. 레코드

73

78

네?

내가

화과자 가게의 하루코

작가·쓰유쿠사 나쓰코

여기 왜 왔을까.

화과자 가게
하루코

감사
합니다~

뭔가
이상해.

완판~

통팥

도무지
영문을
모르겠어.

어서
오세요.
날씨가
더워
졌네요~

아.

80

참깨도.

네.

콩가루.

찾았다 !!

아, 그러세요? 손님은 이곳에 종종 들러 주셨어요.

아빠! 혼자 외출하시면 안 된다고 했잖아요!

네!

그런가요?

아,

요전에도 길 잃어버리 셨으면서.

왜 그래~

늘 콩가루 오하기랑 참깨로 두 개씩 사셨어요.

안심
하세요.

괜찮습니다!

죄송해요.
아버지가
좀…

죄송합니다.
아빠, 이왕 왔으니
뭐 좀 살까요?

저기

아버님은
저희
단골이세요!

콩가루

아, 모르시려나.
그냥 단팥으로
할까.

또
언제든
들러
주세요.

고맙
습니다.

콩가루와
참깨로
해.

응?

아버님,
제가 아버님을
잘 아니까

83

85

7. 마트료시카

오늘, 백신 2차 접종한다고 했죠?

수고했어요.

수고하셨습니다~

네, 꽤 힘들었어요.

맞아요~ 아무래도 열이 나겠죠? 열이 있었다고 하셨죠?

87

화과자 가게의 하루코

작가·쓰유쿠사 나쓰코

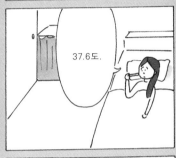

37.6도.

아무래도 감기 같은데.

후~

어떡하지. 컨디션이 점점 나빠지고 있어.

열이 더 오를까…

화과자 가게
하루코

오늘 휴업.

드르륵 드르륵

열 따위~

사 가야지.

사과주스랑~
포카리랑~
푸딩이랑~

예컨대
마트료시카처럼

어렸을 때부터
수차례
경험했는데도

수많은
자신이
더해지는
것이라면

전혀
익숙해지지
않는다.

그렇게
더해져 온
자신을

하하

어른이 됐는데도
힘들고 불안해.
비록 감기라도.

하나하나
열었을 때
나오는

나이가
든다는
것이

어른의
모습으로

그런
기분을,

살고 있다.

혼자는
싫다는

안
되겠다.

어렸을 때의
기분을

더 이상
못 참겠어.
화장실
귀찮아.

가슴
깊숙이
남겨
둔 채

95

97

8. 커피

마스크를 쓰지 않았다면
난 저 꼬마에게 웃어줬겠지.

아이에게
웃어주는 것은
어른이 할 수 있는
최고로 좋은
일인데.

저 아이의 인생에 주어졌을
타인의 미소를 대체 얼마나
잃어버린 걸까.

102

슬슬 짐도 싸야 겠어.

뭐 입고 갈까~

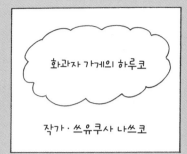

화과자 가게의 하루코

작가 · 쓰유쿠사 나쓰코

달콤한 두유를 마시고~

도착하면 일단 시엔또우장을 먹고~

화과자 가게 하루코

감사 합니다~

아삭 아삭

시럽을 올려 달라고 해서.

또우화는 차가운 걸로!! 샤베트처럼 얼은

3박 4일의 대만여행~

드디어 다음 주 나홀로

여행은 참 좋은 거야~

화과자 가게 하루코

퇴근이다 퇴근~ 오늘 하루도 열심히 살았어!

드르륵 드르륵

아이들은 어떨까.

아니면 미래를 기대하면서 견딘다?

어린아이는 과거도 짧고 미래는 너무 먼일이니까 분명 현재가 전부일 거야.

그렇게 생각하고, 그렇게 믿고

언젠가는 다시 원래대로 돌아간다

현재가 전부――

답답한 현실과 대치하는 건가.

어린아이는 강하군.

아,

방긋

난 내일도
공원에서의
커피가
유일한 낙인데.

하루코,
넌 대만
가는구나…

아빠,
식사할까요?

그래!
오늘 두유로
시엔또우장
만들자.

그거,
두유랑
맛술로
만드는
거냐?

응, 초간단
건강식이에요.

밥그릇에
맛술 작은 스푼으로 둘,
간장 작은 스푼 하나,
말린 새우랑 고추기름을
살짝 넣고

108

9. 케이크

그러게. 그래도 걷기는 하더라고.

큰 부상은 아니어야 할 텐데요.

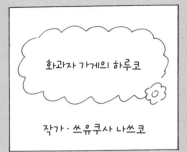

화과자 가게의 하루코

작가·쓰유쿠사 나쓰코

화과자 가게 하루코

드르륵 드르륵

정말이지~

깜짝 놀랐어.

걸을 수 있었다니까 괜찮겠지…

화과자 가게 하루코

좀 전에 사고 났었잖아. 승용차랑 오토바이랑.

무슨 일 있었어요?

파출소

응?

오토바이 탄 사람은 구급차에 실려 갔어.

어머나~

116

*중화요리 체인점.

10. 명절음식

고생했어~

고생했어~

작년에는
만나지
못했지만.

고등학교
때부터
매년
그래왔지.

한 해의
마지막 날은 역시
캐러멜
프라푸치노로
마무리해야지.

출퇴근
시간에 전철
타는 거
완전 공포였어.
사람이
바글바글.

정말이지

아빠도
계시고

아무데도
가지 못했어.
가게랑 집만
왔다 갔다.

124

127

128

129

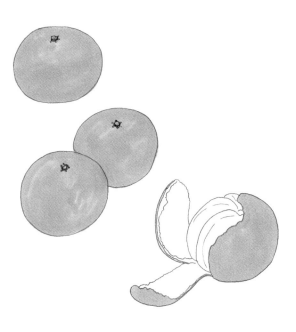

11. 장갑

139

대체 누가 당첨되는 거야?

복권은 원래 안 맞는 거래요.

아하하

화과자 가게의 하루코

작가·쓰유쿠사 나쓰코

당첨되면 어디에 쓰실래요?

화과자 가게
하루코

감사 합니다. 콩가루 오하기 다섯 개 맞으시죠?

일단 호화주택을 짓고 노래방도 만들고

1월도 눈 깜짝할 사이에 끝나버리네. 시간이 너무 빨라서 깜짝 놀란다니까.

우리 강아지한테 금목걸이도 사줄까.

재밌 겠는데

하하하

복권만 당첨됐다면 지금쯤 배 두드리며 편하게 지낼 텐데.

화과자 가
하루

드르륵
드르륵

영업 끝.

저라면
이 가게를
금각사처럼
번쩍번쩍하게
꾸밀래요.

올해는
완두콩
오하기를
좀 일찍
시작할까.

무슨 소리야.
일 안 해도 되는데.

복권~

아,
그렇죠.

1등에 당첨되면
난 아무 일도
안 하고 살까?

가게
루코

감사
합니다~

하
하
하

하
하
하

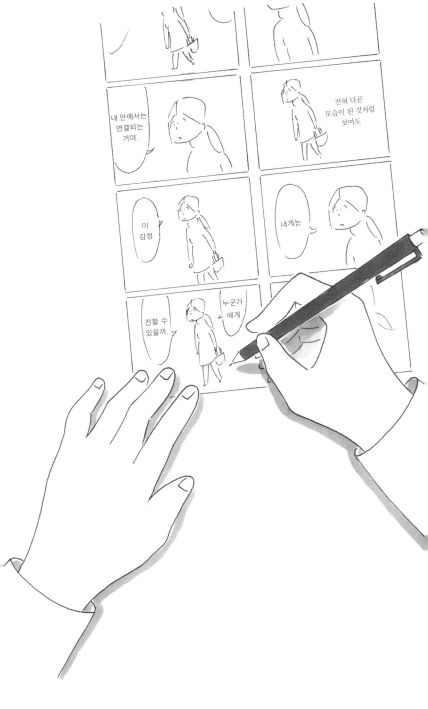

148

12. 오르골

'자신이 좋다고 생각한 것은,

신념이 있던 때의 자신은 오랫동안 기억에 남는다.

흠.

평생 죽을 때까지 자기만의 것이다.'

빙글~

그만둬버리는 걸까?

왜 모두

153

그래?

하지만 저희 집이
사실은 이래저래
복잡해요.

그래서 저도
건강이 나빠지고
여러 가지로
그리고 또

어머 그랬어?

수고
했어~

아니야
무슨

너무
제 얘기만 해서
죄송해요.
그래도 또
들어주세요!

다녀왔습니다.

라후테*
나왔
습니다.

화과자 가게의 하루코

작가·쓰유쿠사 나쓰코

진짜~

완전
맛있어!

화과자 가게
하루코

영업 끝.

드르륵

드르륵

그래서?
피로연 같은 것도
해?

오랜만이군,
오키나와
음식.

안 해.
혼인신고만
할 거야.

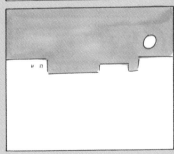

*동파육과 비슷한 오키나와 향토요리.

159

오랫동안
만났는데도
처음 들었어.

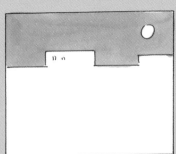

뒹굴

친구의
몰랐던 부분

하와이라~

무엇이든
털어놓는 사이가
꼭 좋은 관계인 건
아니야.

따뜻할
거 같아.

이야기하는 것과
하지 않는 것,
각자의 마음속에
있겠지.

많은 일이
있었구나.

걔도

*나가사키현의 향토요리. 나가사키 짬뽕과 비슷하지만 국물이 없고, 튀긴 소면과 우동면 두 가지를 사용한다.

163

13. 연필깎이

대면수업이
가능해지면서
였는데

후유코의 대학생활

작가 · 쓰유쿠사 나쓰코

그나마도 대학의
방침이 아니라
'대학생다운 생활을'
할 수 있도록

코로나 시국에
대학생이 되는
바람에

교수님이
배려해주었기
때문이다.

새로운 친구는
한 명도 사귀지
못했다.

계단식
대강의실에
들어갈 때마다

좋은 아침~
그러다가
간신히 친구를
사귀게 된 건

168

이미 일상적인
일이라서
그러려니 하고
받아들인다.

새 연필을
깎은 거
같아.

대학생이 되었구나
생각한다.

몸을
움직이고 싶어서
풋살 동아리에
들어갔지만

대면수업이
많지는
않지만,

합숙도 없고
회식도
없다.

2교시 수업이
있는 날에는
친구와 점심을
먹을 수 있다.

그것도
내게는
일상적인 일.

마스크를
쓰지 않은
얼굴을
보는 것은
그때뿐이지만

그런 것보다

버블 세대인
엄마는 아침까지
술자리가
이어졌다고 한다.

그런 것들보다

딱히

우리는 친구를
새로 사귈 기회가
많지 않으니까

잘 먹었습니다~

그런
분위기에 대한
로망도 없고

그러니까

아침까지 몇 차를
갔느니 하는
이야기도 솔직히
관심이 없다.

그것이
나의
대학생활.

지금,
눈앞에
있는
친구를

코로나가
끝나면?

소중히
여기고 싶다고

친구들과
수영장에 가거나
여행을 하고
싶다는 마음이

생각한다.

응

역시
조금은 든다.

술자리를
갖지 않더라도
사람을 만나는
것만으로 즐겁다.

171

14. 푸딩 아라모드

175

살아가는 이유를

쓰유쿠사의 일기

쓰유쿠사 나쓰코

모른다는
것보다

무엇을 위해
사는가

죽는 이유를

이런 질문이

모른다는 것이 더

시시하게 느껴져.

산책 중인 유치원생

분하고

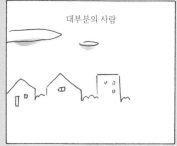
대부분의 사람

허무하고

그리고

슬퍼.

나 자신.

길모퉁이의 고등학생

인생에서
소중한 것은

달개비꽃처럼.

돌아가고
싶은
곳으로

돌아갈
수 있는
거야.

소중한

것은

15. 탬버린

카페

네?

네. 한 달에 두 번,
웹사이트에
올리는 거
어떠세요?

연재요?

인스타에 올리신
만화를 봤어요.
쓰유쿠사 님 만화의
'여백'이 좋아서.

188

파로의 하루

쓰유쿠사 나쓰코

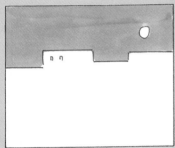

191

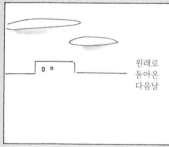

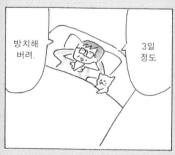

16. 복을 부르는 고양이 인형

연재할 만화를
못 정하겠어.

인스타에
계속 만화를
올리고는
있지만

가끔 지역정보신문에
네 컷 만화를
그리기도 했고

기회일지도?
그래,
분명 기회야!

인터넷 연재는
처음인데.

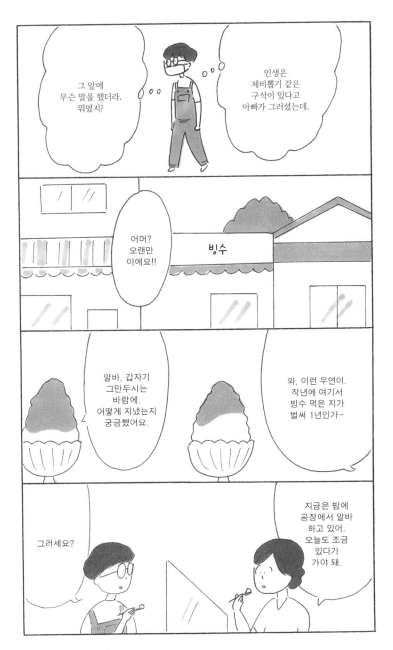

199

201

나는
예전부터
눈여겨
보았던

〈나는 … 〉

쓰유쿠사 나쓰코

인간의
가방을
재빨리
가져왔다.

냐양~

나는 고양이지만
인간이 되는 약을
손에 넣었다.

왜냐면
인간은
가방을
좋아하기
때문이다.

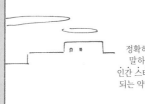

정확하게
말하면
인간 스타일이
되는 약이고,

내 가방에는
대량의
종이가
들어있었다.

나는
고양이 인간이
된 것이다.

학교에
들어갔으며

그 종이로
다양한 물건을
구할 수 있는
듯했다.

주 3일 쉬는
회사에
입사했고

집을
구했고,
요기보
소파도
샀고

솔캠을
즐겼고

그리고

호시노야라는
고급 호텔에
묵기도 했다.

공부해서

획득!

응-응

나는
마지막 힘을
짜내어…

그리고
나는

비틀비틀

후우~

서늘한 곳에
조용히 누웠고

감사하는
마음으로
이 세상에
이별을
고했다.

207

17. 아이스크림

209

전쟁이라는
화제가 끝나
있었다.

쓰유쿠사의 일기

쓰유쿠사 나쓰코

피곤해~

술집에서

놀다 와놓고
피곤하다니.

처음 주문한
안주,
쑥갓 샐러드를

스쳐
지나간
젊은
회사원들

다 먹기도
전에

213

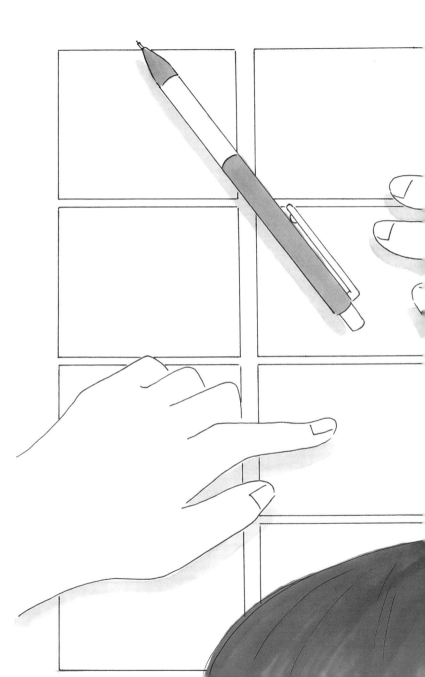

217

218

18. 지갑

222

225

심야의
공장
알바를
가는
언덕길에서

소금쟁이

작가 · 쓰유쿠사 나쓰코

늘 보고
있습니다.

건너편
건물의

소금쟁이

그 사람은
오늘 밤도
야근.

물 위의
삶.

나는
그 모습을

통과하지
못하는.

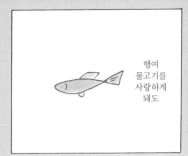

행여
물고기를
사랑하게
돼도

어?

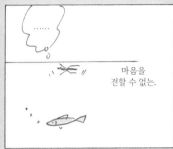

......

마음을
전할 수 없는.

뭐야?

저 창문은

저게?

나의 수면,

한 번이라도
좋으니
나도 바람을
느껴보고
싶어요.

소금쟁이

작가 · 쓰유쿠사 나쓰코

나는 물속에
들어가보고
싶어요.

소금쟁이 씨,
바깥 날씨는
어때요?

우리는
사는
세계가
다르니까.

하하

하하

어쩔 수 없는
일이죠.

기분 좋은
바람이 불고
있어요,
수초 씨.

그렇긴 한데
이상한 게 있어요.

바람~
좋겠네요.

230

19. 망원경

233

234

235

그만 뒀어?

회사는?

자유

작가·쓰유쿠사 나쓰코

계속 방에만 있을 거야?

무슨 일이 있었는지 말해봐.

그때

직장 내 인간관계에 지쳤다는

나는

이유만으로는 설명할 수 없는 무언가가 내 속에서 끓어올라

이유를 말하지 않았습니다.

이래서는
안 된다고
생각은
했지만

나쓰코,
무슨
일이야.

아무데도
갈 수 없는
상태가
되었던
것입니다.

어떻게
해야 할지도
어떻게
하고 싶은지도
모른 채,

이유가
뭐래냐?

말을
안 해.

그렇다고
될 대로 돼라는
마음도
아닌 채
살아갔습니다.

봄이 가고
여름이
찾아와도

그러던
어느
토요일 오후

나의
세계는
나의 방이
전부였고

240

무슨 생각이
있으셨겠지,

세상에는
농담을 해서는
안 되는 뒷모습이
있다는

하고
이유는
묻지 않았
습니다.

사실을
떠올렸기
때문입니다.

배고파.

좋은
냄새~

이후,
아빠가
아침저녁밥을
차려주셨고

241

243

20. 도넛

제로?

도넛

어서
오세요~

제로?

스트로베리도
좋은데.

초콜릿
으로
할까,

도넛

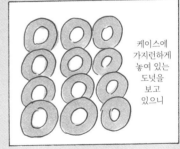

케이스에
가지런하게
놓여 있는
도넛을
보고
있으니

세로!

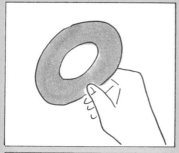

그래,
나도 지금은
제로야.

하하하

조금
작위적인가
…

나는 초콜릿
도넛을 한 개
사서

하지만
지금은
이걸로
됐어.

공원 벤치에
앉아

도넛이
제로라고
말했어,

태양에
비추어
보았습니다.

그곳에서
알바하면

그러니까
나도
제로부터
시작해보자.

도넛
싸게 살 수
있나?

사람은
누구나
자신만의
이야기를
엮어가며

우물

우물

냠

사는 것은
아닐까.

홈

목 말라.

우물   우물

우물   우물

호두

아빠, 건강하시죠?
식사는 잘 챙겨드세요?

코로나 7차 파동도
진정세라서

나쓰코…

올해 연말에는
우리 가족들과
오사카 본가에 들러
나쓰코도 보고 올까 합니다.

아직은 읽기
힘드시다면

나중에
언제가 됐든
꼭 읽어주세요.

특히 가장 뒤에 있는
'호두'는 아빠가 꼭
읽으셨으면 해요.

알바하던 가게도 휴업이었고 …

아니, '그립다'는 말에는 어폐가 있습니다만,

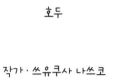

호두

작가 · 쓰유쿠사 나쓰코

단지

아직도 코로나 시국은 끝나지 않았지만

뉴스 시작해요.

아빠와 둘이서

불현듯

진짜 네.

타임스 스퀘어에도 사람이 없어.

그렇게 함께 시간을 보냈던 적은

코로나 초기의 '외출 자제' 운동이 그리워질 때가 있습니다.

내 인생에
있어서

계속 뉴스만
보고
있었지.

처음
이었습니다

그리고
아빠
인생에
있어서도

집에 계신
적이 별로
없었지.

원래
지방출장이
많았던
아빠와는

진짜
구나.

봐!
아라시야마
온천가에도
사람이 없어.

가장 많이
같은 공기를
마셨던
시간이었다는
것은

나쓰코,
케이크
먹고
갈까?

엄마
만큼의
추억이
없어서

분명합니다.

파르페
먹어도
돼.

응

그래서

259

마치
호두껍질 속

호두

조용하고
안전한
작은 세계.

그 '외출 자제'
기간의 나날을
되돌아보면

언젠가
먼 훗날

내 머릿속에는
호두가 하나
떠오릅니다.

내가
나이가 들어
할머니가
됐을 때도

아빠와
둘이서
있었던
집 안은

260

마스다 미리 益田ミリ

1969년 오사카 출생의 일러스트레이터이며 에세이스트.
마스다 미리는 평범한 사람들의 '오늘'을 소중하게 여기며, 그들의 이야기를 담백하게 묘사한다. 대표작으로 30대 싱글 여성의 일상을 다룬 만화 〈수짱 시리즈〉가 있으며, 최근작으로는 『행복은 누구나 가질 수 있다』 『매일 이곳이 좋아집니다』 『미우라 씨의 친구』 등이 있다.
그의 작품 중 〈수짱 시리즈〉 〈우리 누나 시리즈〉 『오늘도 상처 받았나요?』(원제: 스낵 키즈츠키)가 영상화되었다.

옮긴이 박정임

경희대학교 철학과를 졸업하고 일본 지바대학원에서 일본근대문학 석사과정을 수료했다. 전문번역가로 일하면서 능내에서 작은 책방을 운영한다.
옮긴 책으로 마스다 미리의 〈수짱 시리즈〉와 『미우라 씨의 친구』 등을 비롯해 〈미야자와 겐지 전집〉 『어쩌다 보니 50살이네요』 『고독한 미식가』 『피아노 치는 할머니가 될래』 등이 있다.

누구나의 일생
2024년 12월 16일 1판 1쇄 펴냄

지은이: 마스다 미리
옮긴이: 박정임
기획 편집: 고미영
디자인: Praktik
마케팅: 박진우, 전은재
제작: 북작소
제작처: 영신사

ISBN 979-11-990237-1-0 03830
    979-11-990237-0-3 (세트)

펴낸이 고미영
(주)새의노래. 10908 경기도 파주시 경의로 1114, 405호
출판등록 제2023-000009호
전화 02 393 2111 팩스 02 6020 9539
info@birdsongbook.com www.birdsongbook.com
Instagram: birdsongbook

잘못 만든 책은 서점에서 바꾸어드립니다.